CIENCIA PARA PASAR EL INVIERNO

VALERIA EDELSZTEIN

ILUSTRACIONES DE JAVIER REBOURSIN

ediciones iamiqué

¿QUÉ ES EDICIONES IAMIQUÉ?

ediciones iamiqué es una pequeña empresa argentina manejada por una física y una bióloga empecinadas en demostrar que la ciencia no muerde y que puede ser disfrutada por todo el mundo. Fue fundada en 2000 en un desván de la Ciudad de Buenos Aires, junto a la caja de herramientas y al ropero de la abuela. ediciones iamiqué no tiene gerentes ni telefonistas, no cuenta con departamento de marketing ni cotiza en bolsa. Sin embargo, tiene algo que debería valer mucho más que todo eso: unas ganas locas de hacer los libros de información más innovadores, más interesantes y más creativos del mundo.

Textos: Valeria Edelsztein
Corrección: Patricio Fontana
Ilustraciones: Javier Reboursin
Edición: Carla Baredes e Ileana Lotersztain
Diseño: Javier Basile, Lisa Brande y Javier Reboursin

Primera edición: enero de 2016
Tirada: 3000 ejemplares
I.S.B.N.: 978-987-1217-89-2
Queda hecho el depósito que establece la ley 11.723
Impreso en Argentina. Printed in Argentina

info@iamique.com.ar
www.iamique.com.ar
facebook: ediciones.iamique
twitter: @_iamique_

Edelsztein, Valeria
   Ciencia para pasar el invierno / Valeria Edelsztein ; editado por Carla Baredes ; Ileana Lotersztain ; ilustrado por Javier Reboursin. - 1a ed . - Ciudad Autónoma de Buenos Aires : Iamiqué, 2016.
   48 p. : il. ; 21 x 21 cm. - (Ciencia todo el año)

   ISBN 978-987-1217-89-2

   1. Ciencias de la Vida. I. Baredes, Carla, ed. II. Lotersztain, Ileana, ed. III. Reboursin, Javier, ilus. IV. Título.
   CDD 570

¡BIENVENIDO INVIERNO!

Llegó la estación más fría del año, con sus días cortos y sus noches largas, flanqueada por el otoño y la primavera. La llegada del invierno significa desempolvar el abrigo y los guantes, taparte por la noche hasta la nariz y formar humito blanco con tu aliento. Entrar en casa tiritando de frío y sentir el calorcito de la estufa mientras te quitas la bufanda. Es época de estornudos y de mocos verdes, de piel de gallina y de narices rojas.

Y, por supuesto, es también el momento de preguntarte un montón de cosas relacionadas con el frío. ¿Te animas?

¡ADELANTE Y QUE LO DISFRUTES MUCHO!

¿CÓMO SABES QUE LLEGÓ EL INVIERNO?

Si pudieras mirar la Tierra desde el espacio, verías que el recorrido que hace alrededor del Sol no es un círculo, sino una elipse. Además, notarías que su eje, al que puedes imaginar como una vara que la atraviesa por sus polos, está torcido y mantiene la misma inclinación a lo largo de todo el viaje. Debido a estas particularidades, el tiempo que cada hemisferio de la Tierra (norte y sur) está "de cara" al Sol varía a lo largo del año, y los días y las noches no duran siempre lo mismo. Por la misma razón, la dirección con la que les llega la luz del Sol también varía. A veces es el Polo Norte el que se inclina hacia el Sol (alrededor de junio) y recibe los rayos de forma más directa y a veces es el Polo Sur el que está inclinado hacia el Sol (alrededor de diciembre). Esto hace que cada hemisferio se caliente de distinta manera durante el año, es decir, que haya estaciones.

En particular, alrededor del 21 de junio, la Tierra pasa por uno de los dos puntos extremos de la elipse. Hay un momento preciso, el **SOLSTICIO DE INVIERNO**, en que el hemisferio sur queda orientado lo "más hacia fuera" posible respecto del Sol. Ese día tiene la noche más larga del año y el día más corto; es decir, ese día comienza el invierno.

¿QUÉ DÍA EMPIEZA EL INVIERNO?

¿Sabías que el invierno no empieza todos los años el mismo día?
La Tierra tarda 365 días y 6 horas en dar una vuelta completa
alrededor del Sol. Como los años se consideran de 365 días, hay un
retraso en el comienzo del año de 6 horas por cada año que pasa.
Es por eso que esta diferencia de 6 horas se corrige cada cuatros años
agregándole al calendario un día completo: el 29 de febrero.
Esta misma diferencia hace que algunas veces en el hemisferio sur
el solsticio de invierno se produzca el 20 de junio y, otras, el 21.

DATO CURIOSO

Los incas celebraban el solsticio de
invierno con el festival más importante
del Imperio: el INTI RAYMI. Ese día, que
marcaba el inicio del nuevo año, todo
el pueblo, incluido el Emperador, se
reunía en la plaza de Cusco a esperar
la salida del sol, de INTI, para adorarlo
y dar comienzo a la celebración.

¿CÓMO SABE TU CUERPO QUE HACE FRÍO?

L o primero que tienes que saber es que eres un ANIMAL HOMEOTERMO. Eso significa que puedes regular tu temperatura corporal para mantenerla aproximadamente entre 36,5°C y 37,5°C, independientemente de la temperatura exterior (hasta ciertos límites, claro).

Tu termostato está en el HIPOTÁLAMO, la parte del cerebro que recibe e interpreta la información que le llega desde los distintos sensores de temperatura que están distribuidos en el cuerpo. A partir de esa información, tu hipotálamo dispone de una serie de mecanismos que ayudan a disipar calor cuando la temperatura corporal aumenta y a conservarlo cuando disminuye.

¿QUÉ ES LA TEMPERATURA?

¿Sabías que la temperatura es una medida de la ENERGÍA INTERNA que tiene un cuerpo? Cuanta más energía interna tenga, mayor será su temperatura. Cuando dos objetos que están a diferente temperatura se ponen en contacto, se produce una transferencia de energía desde el más caliente hacia el más frío hasta que las temperaturas se igualan. Por eso, cuando sientes que el vidrio de la ventana está frío, no es sólo porque está a una temperatura más baja que la de tu mano, sino porque al tocarlo transfieres energía de tu cuerpo hacia el vidrio. Cuanto más rápida sea esa transferencia, más frío te parecerá el vidrio.

 DATO CURIOSO

¿Notaste que los días fríos, si hay mucho viento, sientes más frío? Para dar una medida de esta percepción se utiliza la SENSACIÓN TÉRMICA, que se calcula mediante una tabla que tiene en cuenta la humedad, la velocidad del viento y, por supuesto, la temperatura.

¿CÓMO REACCIONA TU CUERPO FRENTE AL FRÍO?

La sangre es la encargada de llevar el oxígeno y los nutrientes hacia las células y recoger el dióxido de carbono y los desechos. Para hacerlo, recorre todo el cuerpo, incluyendo los capilares que están casi en la superficie de la piel. Al pasar por estas zonas tan expuestas, si el ambiente exterior está más frío, la sangre pierde calor.

Cuando hace mucho frío, perder calor es un lujo que no puedes permitirte. Por eso tu hipotálamo reacciona regulando el flujo sanguíneo y poniendo en marcha un mecanismo llamado VASOCONSTRICCIÓN PERIFÉRICA, es decir, la contracción de los vasos sanguíneos en las partes de tu cuerpo más expuestas al frío, como los brazos y las piernas. Al hacerse más angostos, la cantidad de sangre que llega hasta allí es menor y, por lo tanto, también es menor la cantidad de calor que se pierde.

El frío no sólo genera respuestas en el cuerpo. Muchos materiales, como el hierro, se contraen a bajas temperaturas. Por este motivo, la Torre Eiffel se encoge varios centímetros durante el invierno.

¿POR QUÉ ABRIGA EL ABRIGO?

Cuando tomas un abrigo del armario, la percha en la que estaba colgado no está caliente, lo que demuestra que el abrigo, por sí solo, no funciona. En realidad, lo que sucede con el abrigo es lo mismo que ocurre con cualquier trozo de tela compacta: actúa como una barrera entre tu cuerpo y el exterior y así evita que pierdas tu propio calor corporal. Por eso te sientes calentito al usarlo.

¿POR QUÉ EL FRÍO TE DA GANAS DE HACER PIS?

L a cantidad de sangre que hay en tu cuerpo es prácticamente siempre la misma, pero cuando hace frío y ocurre la vasoconstricción periférica, el espacio por el que circula se achica. Como consecuencia de esta reducción, la presión en las arterias aumenta y eso hace que llegue más sangre a los riñones, que son los órganos donde se fabrica la orina. Como la orina está formada principalmente por agua que proviene de la sangre, cuanta más sangre circula por los riñones, más pis se produce. Además, con el frío se inhiben algunos de los mecanismos que tiene tu cuerpo para conservar agua. Por todo esto es que, cuando baja mucho la temperatura, sientes más ganas de hacer pis. Este fenómeno se llama DIURESIS INDUCIDA POR EL FRÍO.

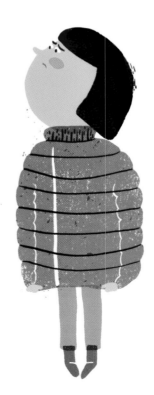

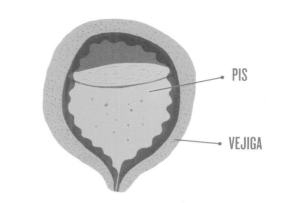

PIS

VEJIGA

¿CÓMO SABES QUE ES HORA DE IR AL BAÑO?

La vejiga es un órgano muscular hueco y con forma de globo. A medida que se llena de orina se expande y las terminaciones nerviosas de sus paredes envían un mensaje al cerebro para indicarle que es momento de ir al baño. Una vez allí, las paredes de la vejiga se contraen para poder expulsar el pis.

DATO CURIOSO

¿Sabías que un estudio encontró que prácticamente todos los mamíferos de más de 1 kilogramo de peso tardan aproximadamente 20 segundos en hacer pis? Un elefante, por ejemplo, elimina 160 litros de orina en 22 segundos, mientras que un perro de gran tamaño tarda unos 24 segundos en hacer 1,5 litros de pis. La próxima vez que vayas al baño, ¡lleva un cronómetro!

¿POR QUÉ SE TE PONE LA PIEL DE GALLINA?

Si miras atentamente tu brazo notarás que los pelitos que lo recubren están casi paralelos a la piel, como apoyados sobre ella. Sin embargo, cuando sientes mucho frío, sucede algo muy extraño: aparece la piel de gallina y los pelos ¡se ponen de punta! ¿Y cómo ocurre esto? Cerca de la raíz de cada pelo hay un pequeñísimo músculo que, frente a una orden del cerebro, se contrae. Al hacerlo, se forma un bultito alrededor del folículo y el pelo se eriza hasta quedar casi perpendicular. Este reflejo involuntario se llama PILOERECCIÓN y es una herencia de nuestros parientes peludos.

Cuando a nuestros antepasados se les erizaba el pelaje, todos esos pelos parados atrapaban una gran cantidad de aire. Como el aire es muy mal conductor del calor, se formaba una gruesa capa aislante que disminuía la pérdida de calor hacia el exterior y los mantenía calentitos. Aunque ya no tenemos pelaje, este mecanismo, que también está regulado por el hipotálamo, sigue activándose frente a las bajas temperaturas.

DATO CURIOSO

Le decimos "piel de gallina" a la piloerección porque nos hace acordar a la piel de las gallinas desplumadas. Puede resultarte extraño, pero en la época de tus abuelos, y antes también, era muy habitual que los pollos (y las gallinas) se compraran con las plumas. Antes de cocinarlos, había que arrancárselas y quedaban así, como con "piel de gallina". Las plumas más rebeldes se quemaban en la hornalla y dejaban un aroma espantoso.

¿LA PIEL DE GALLINA APARECE SÓLO CON EL FRÍO?

Seguramente viste alguna vez a un gato erizar los pelos del lomo cuando se encuentra frente a un perro. Esto no tiene nada que ver con el frío, sino con que está asustado. Esta respuesta biológica involuntaria de muchos mamíferos los hace parecer más grandes y más fuertes y así intimidan a sus oponentes.

¿POR QUÉ TIRITAS?

¿ Notaste alguna vez que cuando sientes mucho frío sueles moverte un poco para que se te vaya esa sensación? ¿Y por qué será que a los primeros movimientos antes de comenzar a hacer deporte se los llama "entrada en calor"? Es que, justamente, el movimiento es otro recurso que tiene el cuerpo para generar calor.

Por eso, cuando hace mucho, mucho frío y tu temperatura corporal baja uno o dos grados, empiezas a temblar. Los temblores son movimientos rápidos de los músculos (contracciones y relajaciones) que producen calor. El castañeteo de los dientes son temblores localizados en los músculos de la cabeza que persiguen el mismo objetivo. ¡Brrrrrrrr!

Sin embargo, este recurso no es eficiente porque, al temblar, consumes mucha energía corporal. Es por eso que recién suele aparecer cuando no logras producir suficiente calor por otras vías.

¿POR QUÉ TIEMBLAS CUANDO TIENES FIEBRE?

Algunas veces, cuando tienes fiebre, empiezas a temblar descontroladamente. Esto puede resultar extraño, pues la temperatura de tu cuerpo es elevada y deberías sentir calor en lugar de frío. ¿Qué es lo que ocurre? Muchos virus y bacterias producen sustancias llamadas pirógenos. Cuando alguno de estos agentes invasores ingresa en tu cuerpo, los pirógenos hacen que tu termostato interno se ajuste a un valor más alto del habitual (por ejemplo, 38,5°C en lugar de 36,5°C). Para alcanzar esa nueva temperatura se ponen en marcha varios mecanismos de producción de calor como los temblores involuntarios. ¡Al igual que cuando tiritas!

DATO CURIOSO

La temperatura más baja de la que se tiene registro se tomó en la base rusa Vostok de la Antártida el 21 de julio de 1983 y fue de ¡89,2°C bajo cero! Allí no había temblor que ayudara...

¿POR QUÉ SE TE PONE ROJA LA NARIZ?

El aire que ingresa por tu nariz está a una temperatura menor que la del interior de tu cuerpo y, cuanto más frío haga afuera, mayor será la diferencia. Por eso, es necesario calentar el aire antes de que llegue a tus pulmones. Además, como el paso por la nariz es muy rápido, el calentamiento tiene que ser muy eficiente.

La sangre es el principal medio de transporte de calor en el cuerpo así que una buena manera de elevar la temperatura en el área de la nariz es aumentar la circulación sanguínea en esa zona. Esto permite que el aire entre a los pulmones con la temperatura adecuada y es también la razón por la cual tu nariz se vuelve un poco más roja cuando hace frío.

¿POR QUÉ SON ROJAS LAS HERIDAS?

Algo parecido, pero a la vez diferente, ocurre después de que te haces un corte o un rasguño. Cuando te lastimas, tu organismo intenta parar el sangrado enviando al lugar de la lesión PLAQUETAS, que son las encargadas de la coagulación. Como las plaquetas viajan por la sangre, se produce un aumento de la circulación sanguínea en la zona de la herida, lo que hace que luzca colorada y esté un poco más calentita.

¿LOS MOCOS SON BUENOS O MALOS?

Todos tenemos mocos, aquí y ahora, en invierno y en verano. Reinas, futbolistas, cantantes de rock, premios Nobel... Son mocos que no dependen del clima y que son "muy saludables". Los hay de varios tipos y tienen funciones diferentes: en este mismo momento, tus pulmones están produciendo moco para protegerse contra la deshidratación; tu estómago, para que el jugo gástrico –que es muy ácido– no lo ataque; tu esófago, como lubricante para que no te atragantes con la pechuga de pollo... ¡y mucho más!

Los mocos "más famosos", los que están en la nariz, funcionan como un filtro que atrapa polvo, polen, bacterias y otras impurezas que andan por el aire y evitan así que lleguen a los pulmones. Además, lubrican y limpian las membranas interiores de la nariz y humedecen y calientan el aire.

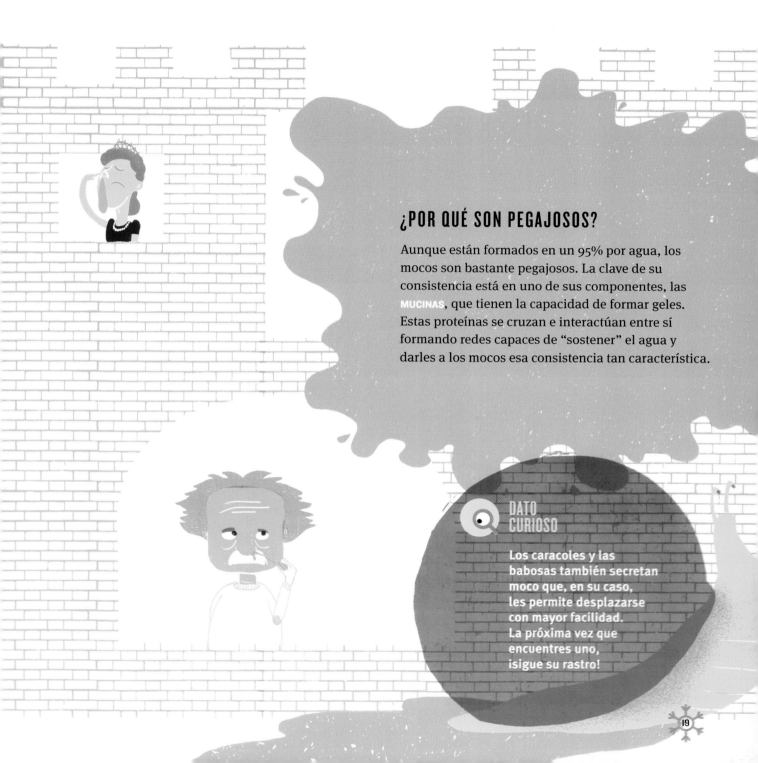

¿POR QUÉ SON PEGAJOSOS?

Aunque están formados en un 95% por agua, los mocos son bastante pegajosos. La clave de su consistencia está en uno de sus componentes, las **MUCINAS**, que tienen la capacidad de formar geles. Estas proteínas se cruzan e interactúan entre sí formando redes capaces de "sostener" el agua y darles a los mocos esa consistencia tan característica.

DATO CURIOSO

Los caracoles y las babosas también secretan moco que, en su caso, les permite desplazarse con mayor facilidad. La próxima vez que encuentres uno, ¡sigue su rastro!

¿POR QUÉ A VECES LOS MOCOS SON VERDES?

Cuando te resfrías, los primeros mocos son semitransparentes y forman esa "agüita gelatinosa" que gotea constantemente de tu nariz. A medida que el malestar avanza, los mocos van cambiando de color. Así, pasan de amarillo pastel a amarillo verdoso, y finalmente llegan a su característico verde oscuro. ¿Y por qué tanta variedad?

Por el momento (y esto puede cambiar, como todo en la ciencia), los científicos piensan que el color de los mocos es consecuencia de la batalla que tiene lugar entre tus células de defensa y los invasores que quieren enfermarte. Si fuera una película de acción, tus GLÓBULOS BLANCOS serían "los buenos", que luchan contra los malos –los virus y las bacterias– para destruirlos. Algunos de los buenos, los neutrófilos, "se comen" (los científicos dicen "fagocitan") los agentes invasores que encuentran a su paso. Para hacerlo cuentan con varias herramientas, muchas de las cuales necesitan HIERRO para funcionar. Cuando la lucha está en su punto máximo, hay víctimas de ambos bandos y los mocos, que vendrían a ser el pegajoso campo de batalla, se llenan de células muertas, restos de bacterias y hierro, entre otras cosas. Este exceso de hierro desparramado por ahí es el que les daría a los mocos su llamativo color. Y, obviamente, a medida que el resfrío avanza, la cosa se pone más y más verdosa.

¿POR QUÉ SE ESPESAN?

Cuando el cuerpo lucha contra una infección, los mocos no sólo cambian de color sino que también se vuelven más espesos. Esto se debe a que hay cada vez más glóbulos blancos que viajan hacia la zona de la nariz y eso modifica la textura del moco.

DATO CURIOSO

El termino médico que describe el acto de meterse el dedo en la nariz es RINOTILEXIS. La forma delicada y científica de informar que a alguien le gusta sacarse los mocos sería decir que sufre de RINOTILEXOMANÍA. ¿Cuán rinotilexomaníaco eres?

¿POR QUÉ TE ENFERMAS MÁS EN INVIERNO?

El invierno es una época ideal para los VIRUS, que son los causantes de las enfermedades más contagiosas de esta estación. Aunque los científicos no pueden responder con toda certeza por qué te enfermas más en invierno, manejan varias hipótesis. Por un lado, cuando hace frío y hay poca humedad, los mocos se secan y endurecen y, de este modo, disminuye su capacidad de actuar como barrera de defensa y los virus ingresan a tu cuerpo más fácilmente.

Además, durante el invierno te quedas más tiempo encerrado dentro de tu casa, en la escuela o donde sea. Y lo mismo hacen todos los demás. Al estar todos juntos y calentitos en el mismo lugar, con las ventanas cerradas, les proporcionan a los virus un ambiente ideal para propagarse y esto, claramente, favorece el contagio.

¿CÓMO TE CONTAGIAS?

Muchos virus se transmiten por el aire a través de las gotitas que se expulsan al hablar, toser o estornudar. Otros pueden transmitirse al tocar superficies contaminadas, como al darle la mano a alguien que acaba de limpiarse la nariz o al tomarse de un pasamanos en el transporte público. Por eso, es fundamental que laves tus manos con frecuencia y por no menos de 20 segundos. Si bien el jabón no destruye los virus, al lavarte remueves y quitas la grasa y la suciedad que contiene a la mayoría de ellos.

DATO CURIOSO

Cuando estornudas, el aire sale expulsado a una velocidad promedio de 110 kilómetros por hora, similar a la que puede alcanzar el guepardo, el animal terrestre más veloz del planeta.

¿QUÉ TIENE QUE VER LA GRIPE CON EL FRÍO?

En el aire frío y seco del invierno algunos virus, como el de la gripe, son más estables y pueden permanecer activos más tiempo. Esta ventaja se debe a que tienen un recubrimiento especial, una membrana grasosa que los protege y que se disuelve cuando entran a los ideales 37°C del interior de tu cuerpo.

En los medios más académicos, a la gripe de la suele llamar INFLUENZA. Esta palabra es de origen italiano y algunos historiadores están convencidos de que empezó a utilizarse a mediados del siglo XVIII como una abreviatura de *influenza di freddo*, que significa "influencia del frío".

¿ES LO MISMO TENER GRIPE QUE ESTAR RESFRIADO?

La gripe y el resfrío –o resfriado– común no son la misma enfermedad. La gripe es una infección causada por el virus influenza, de los cuales hay tres tipos (A, B y C). El resfrío, en cambio, puede ser ocasionado por más de 200 virus diferentes, principalmente los de las familias de rinovirus y coronavirus.

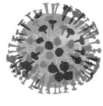

VIRUS INFLUENZA

RINOVIRUS

CORONAVIRUS

DATO CURIOSO

La gripe de 1918 fue una de las enfermedades más devastadoras de la historia de la humanidad. Parece que empezó en España, se propagó rápidamente por el mundo entero, enfermó a unos 500 millones de personas y causó, al menos, 50 millones de muertes.

¿POR QUÉ LOS ALIMENTOS SE CONSERVAN MEJOR EN EL FRÍO?

Si olvidas un trozo de pan en la panera, en poco tiempo se cubrirá de hongos. Y si dejas una naranja fuera de la heladera, al cabo de unos días se ablandará y cambiará de sabor. Esto ocurre porque los alimentos son perecederos, es decir, se alteran y descomponen rápidamente si no se conservan mediante algún método particular. El deterioro ocurre porque están expuestos a la luz o al oxígeno del aire, porque hay mucha humedad o altas temperaturas, y también por la presencia de bacterias, hongos y otros MICROORGANISMOS.

El frío es un buen aliado a la hora de mantener la comida porque inhibe parcial o totalmente los procesos que la arruinan. En particular, muchos microorganismos viven y se multiplican idealmente a temperaturas cercanas a los 37ºC y, si la temperatura disminuye, también lo hace la velocidad a la que se desarrollan. A la temperatura de la heladera, 4ºC, su metabolismo se hace muy lento y a la temperatura del *freezer*, -18ºC, prácticamente se detiene por completo.

¿POR QUÉ NO SE PUEDE VOLVER A CONGELAR UN ALIMENTO QUE SE DESCONGELÓ?

Cuando un alimento congelado se descongela, su temperatura aumenta y la actividad de los microorganismos se acelera rápidamente. Al congelarlo nuevamente, la actividad se hace otra vez más lenta, pero la cantidad de microorganismos que quedó en el alimento es mucho mayor. Sólo podrías volver a congelarlo si lo cocinaste luego de descongelarlo porque, al someterlo a altas temperaturas, habrás reducido drásticamente el número de microorganismos.

DATO CURIOSO

Antes de la invención de las heladeras los alimentos se conservaban con sal, especialmente cuando se los trasladaba en largos viajes en barco. Este método de conservación es útil porque la mayoría de los microorganismos se deshidrata en ambientes muy salados.

¿HASTA QUÉ VALOR SE PUEDE ENFRIAR ALGO?

S i pudieras aumentar tu visión y mirar un objeto de cerca, pero muy de cerca, notarías que está formado por muchísimas partículas que están en continuo movimiento (giran y vibran). Este movimiento depende fuertemente de la temperatura: cuanta más alta es, más se agitan. De modo que si pusieras ese objeto en el congelador o en el *freezer*, verías que las partículas se mueven más lentamente. Si quisieras que estuvieran aún más quietas tendrías que seguir enfriando el objeto...

¿Existirá alguna temperatura a la cual las partículas se queden completamente inmóviles? Los científicos calcularon que, según la teoría, esa temperatura existe y es 273,15°C bajo cero. A este valor se lo conoce como CERO ABSOLUTO y marca un límite que no tiene que ver con la calidad de la heladera ni con el objeto: no se puede bajar la temperatura de ninguna cosa más allá de los -273,15°C.

-273,15⁰

-200⁰

-150⁰

-100⁰

-5

¿CUÁN ABSOLUTO ES EL CERO ABSOLUTO?

Cuando los científicos estudian cosas muy, muy pequeñitas, las leyes que rigen el comportamiento de los cuerpos ya no funcionan del todo y se ponen en juego otras, conocidas como las leyes de la MECÁNICA CUÁNTICA. Según ellas, el movimiento térmico no se detiene nunca y, cuando nos acercamos al cero absoluto, las cosas se comportan de maneras que no podemos predecir con las leyes clásicas.

DATO CURIOSO

Hasta el año 2013, la temperatura más baja que se había podido alcanzar era de apenas 0,0000000001 grado por encima del cero absoluto. Pero ese año un grupo de científicos de Alemania logró que la temperatura de un gas estuviera ¡por debajo del cero absoluto!

¿EL FRÍO PUEDE QUEMAR?

Alguna vez sacaste algo del congelador o del *freezer* e intentaste sostenerlo durante un rato? Es probable que luego de unos segundos hayas sentido la necesidad de soltarlo porque "algo" te quemaba.

En realidad, aunque no se trate exactamente de una quemadura, el frío excesivo puede lastimar mucho LOS TEJIDOS. Al sostener algo helado por largo tiempo, la temperatura de tus dedos baja mucho. Eso pone en alerta unos receptores especiales de tu piel que le avisan al cerebro que algo malo está ocurriendo. Ese aviso lo percibes como dolor o quemazón y la orden es: "¡Suelta ese objeto ahora mismo!".

Hay personas que se entrenan para superar los límites más increíbles. El holandés Wim Hof, apodado "el hombre de hielo", tiene un récord *Guinness* que da escalofrío: aguantó 1 hora y 52 minutos sumergido hasta el cuello en cubitos de hielo.

¿Y SI NO LO SUELTAS?

Si no atendieras o no pudieras atender la señal de tu cerebro y siguieras expuesto al frío, tus dedos podrían volverse insensibles, como si se adormecieran. En un caso extremo, el agua de tus células empezaría a congelarse y se formarían cristales de hielo. Como el agua congelada ocupa más espacio que el agua líquida, los cristales podrían crecer lo suficiente como para romper las células y destruir tus tejidos.

¿POR QUÉ VES TU PROPIO ALIENTO?

El aire que sale por tu boca está formado por una mezcla de varios gases que están a unos 37°C, la temperatura interna de tu cuerpo. Allí hay oxígeno, dióxido de carbono, nitrógeno y también, debido a que el interior de tus pulmones es bastante húmedo, vapor de agua (o agua en estado gaseoso). Cuando exhalas, si la temperatura del exterior es muy baja, el vapor de agua puede enfriarse mucho y convertirse en agua líquida. Este cambio de estado, que se llama CONDENSACIÓN, está favorecido si ocurre sobre alguna superficie que funcione como centro de nucleación, que es donde empiezan a formarse las gotas. En este caso, cuando el vapor toca alguna microscópica partícula del polvo que flota en el aire, se enfría y se condensa formando una gota minúscula sobre la partícula. Entonces, si hay mucho vapor de agua –el que exhalas con tu aliento–, hace mucho frío y hay suficiente polvo en el aire, se forman muchas pequeñísimas gotas que quedan suspendidas y crean esa neblina tan divertida. De forma parecida se forman las nubes que ves en el cielo.

Berndnaut Smilde es un artista holandés que crea nubes dentro de espacios cerrados. Sus obras son muy breves pero muy bellas y, afortunadamente, pueden fotografiarse.

¿DÓNDE MÁS HAY CONDENSACIÓN?

El fenómeno de condensación que ocurre cuando un gas se convierte en líquido es el que sucede cuando te bañas y todo queda empañado. Al ducharte con agua caliente, parte del líquido pasa a ser vapor de agua, se mezcla con los gases del aire y se mueve con ellos por todo el baño. Cuando ese aire –con mucho vapor– entra en contacto con el espejo o con cualquier superficie más fría, el vapor se condensa y forma pequeñas gotas de agua líquida. Por eso, al terminar de bañarte notas que el espejo está completamente empañado (en realidad, hay gotitas de agua por todas partes pero las del espejo se ven mejor).

¿DE DÓNDE SALE LA ESCARCHA?

El aire siempre contiene una determinada cantidad de vapor de agua. Es lo que conoces como HUMEDAD AMBIENTE. Cuando hace mucho frío, el vapor de agua se condensa y en el aire flotan gotitas de agua muy frías que te humedecen la cara y sientes que te hielas.

Esas minúsculas gotitas se depositan también en las hojas de las plantas, en el césped o en el piso de la calle y, si hace tantísimo frío, se congelan. En este caso sucede otro cambio de estado: el agua pasa de líquido a sólido y se transforma en cristales de hielo que, uno sobre otro y sobre otro, van formando finísimas escamas o agujas. Aquí también es importante tener centros de nucleación a partir de los cuales crecerán los cristales con esas formas tan maravillosas.

¿SIEMPRE SE FORMA ESCARCHA?

Para que se forme escarcha tienen que cumplirse, al menos, tres condiciones: la humedad relativa debe ser mayor al 60%, así hay suficiente vapor de agua en el aire; no tiene que haber mucho viento, así las gotitas de agua se depositan, y las superficies tienen que estar por debajo de 0°C, así las gotitas se congelan.

DATO CURIOSO

Cuando hace muchísimo frío no solamente se congelan las pequeñas gotas de agua que flotan en el aire. También se congela el agua de las grandes cataratas y, al hacerlo, ¡se forman increíbles puentes de hielo! Las cataratas del Niágara en Estados Unidos, las de Tugela en Sudáfrica, las Gullfoss en Islandia y muchas otras ofrecen, en invierno, un espectáculo maravilloso.

¿CÓMO SE FORMA LA NIEVE?

Para que se formen nubes de nieve tiene que hacer suficiente frío como para que la temperatura sea inferior al punto de congelamiento del agua (0°C) pero no tanto porque también tiene que haber bastante vapor de agua en el aire. Si la temperatura es muy baja, y los lagos y otras fuentes de agua están muy fríos, no se formará suficiente vapor. Cuando se dan las condiciones necesarias, el vapor sube lentamente y, a medida que se enfría, se convierte en gotitas de agua. Cuando esas gotas frías encuentran partículas de polvo o arena (que funcionan como centros de nucleación), se "apoyan" sobre ellas y se congelan. Sobre esos pequeños CRISTALES, otras gotitas de agua se congelan a su vez y, luego, otras más. Así, lentamente, cristal sobre cristal, se van formando los copos de nieve.

Si el aire por debajo de la nube de nieve está a más de 0°C, los copos pueden derretirse mientras caen y transformarse en "agua-nieve" o, incluso, en una lluvia común y corriente. Pero si el aire está lo suficientemente frío, los copos llegarán hasta el suelo y lo cubrirán todo con su belleza.

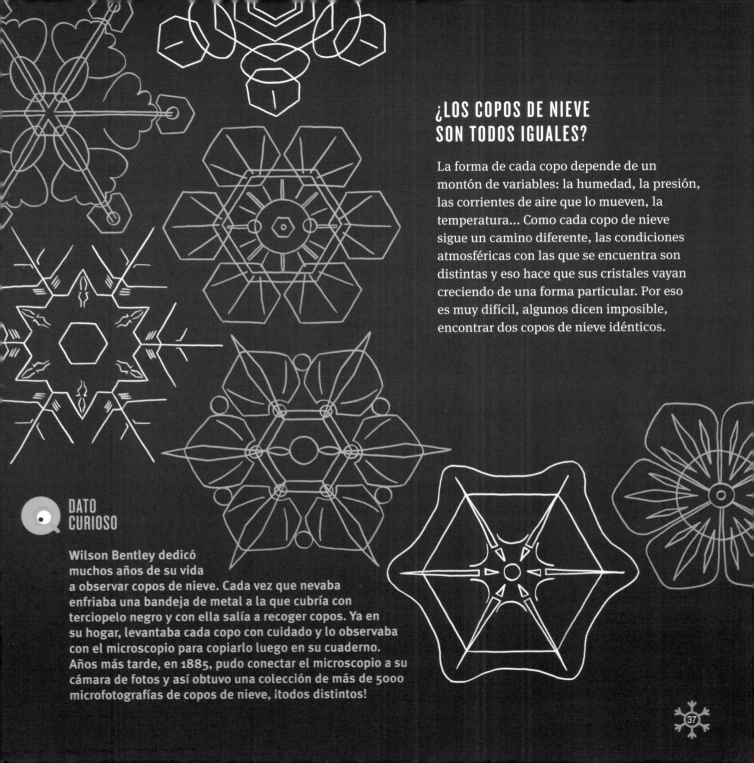

¿LOS COPOS DE NIEVE SON TODOS IGUALES?

La forma de cada copo depende de un montón de variables: la humedad, la presión, las corrientes de aire que lo mueven, la temperatura... Como cada copo de nieve sigue un camino diferente, las condiciones atmosféricas con las que se encuentra son distintas y eso hace que sus cristales vayan creciendo de una forma particular. Por eso es muy difícil, algunos dicen imposible, encontrar dos copos de nieve idénticos.

DATO CURIOSO

Wilson Bentley dedicó muchos años de su vida a observar copos de nieve. Cada vez que nevaba enfriaba una bandeja de metal a la que cubría con terciopelo negro y con ella salía a recoger copos. Ya en su hogar, levantaba cada copo con cuidado y lo observaba con el microscopio para copiarlo luego en su cuaderno. Años más tarde, en 1885, pudo conectar el microscopio a su cámara de fotos y así obtuvo una colección de más de 5000 microfotografías de copos de nieve, ¡todos distintos!

¿CÓMO SE PUEDE CAMINAR EN LA NIEVE?

Si alguna vez estuviste en la nieve, sabrás que caminar sobre ella resulta agotador: te hundes a cada paso y es muy difícil avanzar. Para vencer esta dificultad, se suelen acoplar a los zapatos unas bases especiales llamadas RAQUETAS que, si bien hoy se hacen con materiales sintéticos y livianos, están inspiradas en un calzado de madera y piel que se usa desde hace cientos de años. ¿Cómo funcionan? Cuando pisas, aplicas todo tu peso sobre el área de contacto que hay entre tus zapatos y el suelo. Al ponerte las raquetas aumentas mucho la superficie de contacto con la nieve y, de este modo, logras que tu peso se reparta en toda esa superficie. Así, la fuerza que ejerces sobre cada porción de nieve es mucho menor y te hundes mucho menos.

¿CÓMO HACEN LOS ANIMALES?

Algunos animales que viven en climas muy fríos no necesitan ponerse raquetas para andar por la nieve. La liebre ártica, por ejemplo, tiene patas grandes y peludas con mucha superficie de apoyo que cumplen la misma función.

DATO CURIOSO

Aunque te dé mucha impresión, cuando el faquir se acuesta sobre la cama de clavos no corre riesgo de lastimarse: su peso se distribuye entre todos los clavos y la fuerza que ejerce cada clavo sobre su piel (para sostenerlo) no lo hiere. Si no lo crees, prepara una cama de alfileres, usa un globo como faquir y compruébalo tú mismo.

¿POR QUÉ SE LES ECHA SAL A LOS CAMINOS?

Si pudieras observar con una superlupa qué le sucede al agua a medida que se congela, verías que sus moléculas se acercan entre sí y se acomodan de una manera más ordenada. Si se trata de agua pura, este cambio de fase (líquido-sólido) ocurre exactamente a los 0°C. Pero si al agua le agregas sal, este ordenamiento de moléculas ocurre a menor temperatura, como si la presencia de sal hiciera que a las moléculas de agua les cueste más ordenarse.

Este fenómeno, que ocurre también en otros líquidos, se llama DESCENSO CRIOSCÓPICO y es el que provoca que el agua salada se congele a una temperatura más baja que el agua natural. Por eso es común que, en los pueblos o ciudades donde hace mucho frío, la gente eche sal en los caminos. Se trata de una manera eficiente y económica de evitar que el agua se congele y así mantener las rutas transitables el mayor tiempo posible.

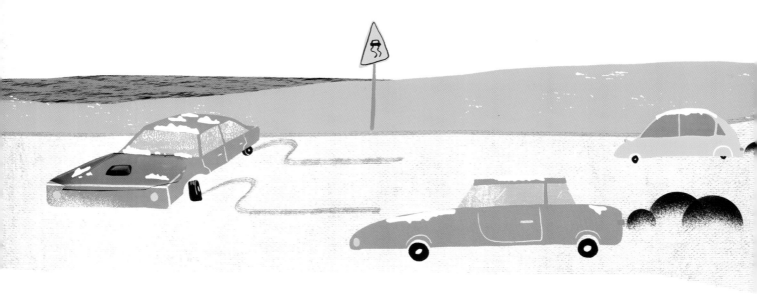

¿A QUÉ TEMPERATURA SE CONGELA EL AGUA SALADA?

A medida que agregas sal al agua, la temperatura de congelación irá bajando hasta que, en algún punto, ¡empezará a subir nuevamente! Ese PUNTO INFERIOR se alcanza cuando tiene un 23% de sal y es de, aproximadamente, ¡21°C bajo cero! Esa es la menor temperatura que el agua salada puede tener antes de congelarse. Lo más interesante de este fenómeno es que no ocurre exclusivamente con la sal: también hay descenso crioscópico si agregas azúcar, alcohol o cualquier sustancia que se disuelva en el agua.

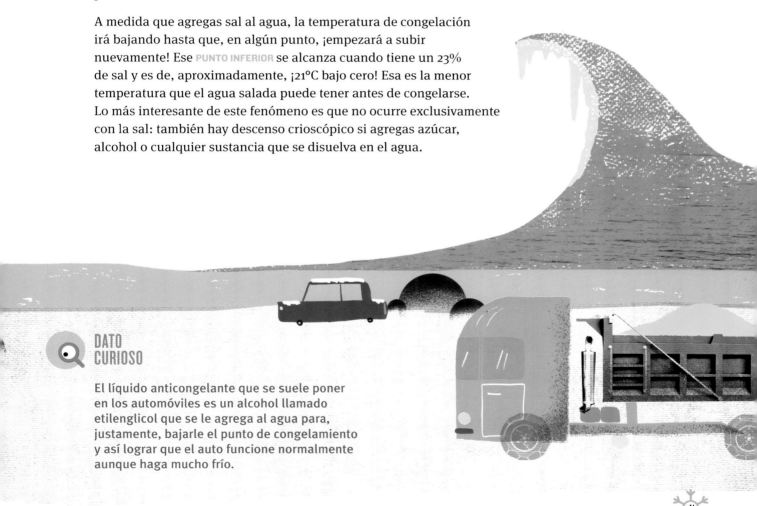

DATO CURIOSO

El líquido anticongelante que se suele poner en los automóviles es un alcohol llamado etilenglicol que se le agrega al agua para, justamente, bajarle el punto de congelamiento y así lograr que el auto funcione normalmente aunque haga mucho frío.

¿CÓMO SOBREVIVEN LOS ANIMALES QUE HIBERNAN?

Durante el invierno, muchas plantas pierden sus hojas, el suelo se cubre de nieve, el alimento escasea y muchos lugares dejan de ser aptos para vivir. Frente a esta situación, algunos animales entran en estado de HIBERNACIÓN, un sueño profundo del que no se despiertan hasta la primavera.

En realidad, no pasan todo el tiempo durmiendo sino que, de vez en cuando, se despiertan un rato y después se vuelven a dormir.

¿Cómo lo logran? Con la llegada del verano, comienzan a engordar y acumular grasa como una forma de reservar energía. También acondicionan sus madrigueras cubriéndolas con hierbas y hojas para que sean cómodas y calentitas. Cuando llega el crudo invierno y entran en estado de hibernación, el corazón les late más despacio, la temperatura del cuerpo disminuye y la respiración se hace más lenta. Por ejemplo, una ardilla que respiraría normalmente unas 150 veces por minuto, lo hace sólo 4 veces en el mismo intervalo; el corazón pasa de 250 latidos por minuto a 15. De esta manera, casi sin signos vitales, consume una cantidad de energía mucho menor y puede sobrevivir sin alimento durante mucho tiempo.

¿POR QUÉ SE ACURRUCAN?

Cuando se preparan para hibernar, los animales se acomodan formando una bolita. Seguramente tú también te acomodas así en la cama cuando sientes mucho frío. Al acurrucarte reduces la superficie de tu cuerpo que está expuesta al exterior y, de este modo, minimizas la pérdida de calor. Por eso te sientes más calentito.

DATO CURIOSO

Cuando la temperatura cae por debajo de 0°C, la rana del bosque (*Rana sylvatica*) empieza a congelarse: primero sus piernas, después su cabeza y luego ¡su corazón! Con un 65% del cuerpo congelado, sobrevive al invierno gracias a que genera grandes cantidades de azúcares que actúan como anticongelante y evitan que se formen cristales de hielo que dañarían sus tejidos. Al llegar la primavera se descongela y vuelve a la vida como si nada hubiera ocurrido.

¿TODOS LOS ANIMALES RESISTEN EL FRÍO?

Al llegar el frío muchos animales, en lugar de hibernar, se mudan a alguna zona más cálida. La ballena azul, por ejemplo, pasa el verano alimentándose y nadando en aguas polares y, cuando llega el invierno, emprende un largo viaje hacia el ecuador. Las golondrinas, por su parte, son viajeras incansables: en otoño ya parten en busca de climas cálidos y alimentos y son capaces de recorrer ¡hasta 12.000 kilómetros! Antes de la MIGRACIÓN, las aves descansan y se alimentan mucho. A veces llegan a duplicar y hasta triplicar su peso normal. Es que el viaje les demandará mucha energía y, a pesar de todos los recaudos, llegarán delgaditas y cansadas a su nuevo destino.

¿CÓMO SABEN HACIA DÓNDE VOLAR?

Las aves son expertas navegantes. Para orientarse durante la migración se valen del campo magnético terrestre, de la posición de las estrellas y de cómo cambia la luz del Sol. También reconocen algunas marcas terrestres como ríos, costas y cordilleras... Incluso, hay algunas especies que utilizan el olfato y el oído para saber hacia dónde dirigirse.

¡LLEGÓ EL CALORCITO!

El invierno se va yendo y empieza a hacer calor. Es hora de guardar el abrigo, la bufanda y los guantes hasta el año que viene. Las plantas florecen, los animales se despiertan y nuevas preguntas aparecen. Otras estaciones te esperan para seguir descubriendo las maravillas de la ciencia. ¡Hasta muy pronto!

¿QUIÉN ESCRIBIÓ ESTE LIBRO?

VALERIA nació en Buenos Aires en 1982. Fue una niña muy friolenta: en invierno iba a la escuela con pasamontañas, guantes y bufanda, y casi no podía moverse por la cantidad de ropa que tenía debajo del guardapolvo. Aunque lo mantiene en secreto, se comenta que era capaz de dejarse el pijama puesto.

Es Doctora en Química por la Universidad de Buenos Aires e investigadora del Consejo Nacional de Investigaciones Científicas y Técnicas (CONICET). Es autora de varias publicaciones científicas y libros de divulgación. Participa del ciclo "Científicos Industria Argentina" y es columnista en distintos medios de comunicación.

Vive en Buenos Aires con Julián, su marido; Tomi y Sofi, sus hijos, y Panchita, el miembro perruno de la familia. Le encantan las tardes de invierno para acurrucarse en la cama con un buen libro, taparse hasta la nariz y escuchar cómo sopla el viento del otro lado de la ventana.

¿QUIÉN LO ILUSTRÓ?

JAVIER nació en Buenos Aires un gélido día del invierno de 1984. Quizás sea por eso que sufre mucho el frío y que en su armario tenga más frazadas que zapatos.

Es diseñador gráfico, ilustrador y profesor de Diseño en la Universidad de Buenos Aires. Le parece muy injusto que sólo algunos animales tengan la capacidad de hibernar, aunque asegura que no le gustaría tener un conflicto legal con los osos.

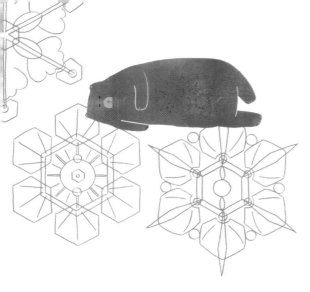

PREGUNT**ÍNDICE**

¿YA ERES PARTE DE LOS SEGUIDORES DE EDICIONES IAMIQUÉ?

La Tierra y el Sol
para los
más curiosos

La luz y los colores
para los
más curiosos

Terremotos y
volcanes para
los más curiosos

Tormentas y
tornados para
los más curiosos

Química
hasta en la sopa

Ecología
hasta en la sopa

Guía turística del
Sistema Solar

Guía turística de
la Tierra extrema

info@iamique.com.ar
www.iamique.com.ar
ediciones.iamique
@_iamique_

Este escalofriante libro
se imprimió en Grancharoff
Impresores, Tapalqué 5868,
Ciudad de Buenos Aires,
en el sofocante mes de
enero de 2016.